Un livre pour enfants sur

LES COMMÉRAGES

Conseillers à la publication: Jean-Pierre Durocher
Chrystiane Harnois

Conseillère à la rédaction: Amanda Gough

Dépôt légal, 4e trimestre 1995
Bibliothèque nationale du Québec

ISBN 0-7172-3108-9

Imprimé aux États-Unis

Un livre pour enfants sur

LES COMMÉRAGES

Texte de JOY BERRY

Illustrations de BARTHOLOMEW

GROLIER LIMITÉE
Montréal

Voici l'histoire de Chantal et de ses amis Laura et Alexandre.

Nous y parlerons ***des commérages***, de leurs conséquences et de comment tu peux y remédier.

SAIS-TU CE QUE J'AI DÉCOUVERT AU SUJET DE CHANTAL?

Tu fais des commérages lorsque tu dis des choses désagréables sur quelqu'un à d'autres personnes.

ELLE AGIT COMME UN BÉBÉ!
CE N'EST PAS VRAI.

Tu fais des commérages quand tu racontes aux autres des histoires fausses sur quelqu'un.

ELLE PLEURE CHAQUE FOIS QUE SA MÈRE LA LAISSE À L'ÉCOLE. JE TE DIS, C'EST UNE PLEURNICHEUSE.
CE N'EST PAS VRAI!

Lorsque tu fais des commérages sur quelqu'un, tu peux faire de la peine à cette personne.

Elle peut se sentir humiliée par ce que tu racontes.

ET SI LAURA AVAIT RAISON? SI J'ÉTAIS UNE PLEURNICHEUSE?
ÇA N'A PAS L'AIR D'ALLER.

En faisant des commérages sur quelqu'un, tu peux attirer des ennuis à cette personne.

D'autres pourraient croire ce que tu racontes à son sujet et la traiter injustement.

TU VEUX JOUER AVEC MOI?
NON, MERCI!
TU N'ES QU'UNE PLEURNICHEUSE!
ET S'IL CROYAIT QUE JE SUIS UN CHAT DE GOUTTIÈRE?

Tu peux te faire du tort en faisant des commérages. Les autres pourraient penser que si tu racontes des vilaines choses cela veut dire que tu manques de gentillesse. Ils ne t'aimeront peut-être pas et ne voudront pas être en ta compagnie.

ALEX NE VEUT PAS JOUER AVEC MOI À CAUSE DE CE QUE LAURA LUI A DIT. LAURA EST MESQUINE. JE LA DÉTESTE.
LAURA LUI A SANS DOUTE DIT QUE J'ÉTAIS UN CHAT DE GOUTTIÈRE.

Faire des commérages peut t'attirer bien des problèmes. Les autres pourraient penser que tu es malhonnête, puisque tu racontes des choses qui sont fausses. Ils ne te feront peut-être plus confiance. Ils ne croiront peut-être plus jamais ce que tu dis.

SI LAURA MENT À MON SUJET, ELLE RACONTE SÛREMENT D'AUTRES MENSONGES. JE NE LA CROIRAI PLUS JAMAIS.
OUAIS! JE PARIE QU'ELLE MENT ÉGALEMENT AU SUJET D'AUTRES CHATS!

En faisant des commérages, on fait du mal aux autres et on se fait du mal à soi-même. Tu ne dois donc pas en faire. Voilà la règle d'or à suivre:

La parole est d'argent, mais
le silence est d'or.

OÙ EST LAURA?
J'AIMERAIS BIEN LEUR DIRE CE QUE JE PENSE DE LAURA, MAIS JE NE VEUX PAS FAIRE DE COMMÉRAGES.
JE NE SAIS PAS.
OUI TU LE SAIS!

Certaines personnes te poseront peut-être des questions sur d'autres personnes pour te pousser à faire des commérages.

Ne te laisse pas prendre au piège. Fais plutôt ceci:

- Explique gentiment à la personne qui te les pose que tu préfères ne pas répondre à ses questions.
- Essaie ensuite de changer le sujet de la conversation.

ON A ENTENDU DIRE QUE LAURA DISAIT DES CHOSES MESQUINES SUR LES GENS. EST-CE VRAI?
JE PRÉFÈRE NE PAS RÉPONDRE À CETTE QUESTION. PARLONS PLUTÔT D'AUTRE CHOSE.

Ne force pas les autres à dire des choses mesquines ou fausses.

Ne leur pose pas des questions qui les poussent à faire des commérages.

J'AIMERAIS BIEN LEUR DEMANDER CE QU'ILS PENSENT DE LAURA, MAIS JE NE VEUX PAS LES POUSSER À FAIRE DES COMMÉRAGES.
IL NE FAUT PAS FAIRE SA LANGUE DE VIPÈRE.

N'écoute pas ceux qui veulent te raconter des commérages. Fais plutôt ceci:

- Dis-leur gentiment que tu n'as aucune intention d'écouter leurs commérages.
- Éloigne-toi d'eux s'ils continuent leurs commérages.

TU NE CROIRAS JAMAIS CE QUE J'AI APPRIS AU SUJET DE LAURA.
JE N'AI PAS ENVIE D'ENTENDRE VOS COMMÉRAGES. JE RENTRE CHEZ MOI. AU REVOIR.
JE PEUX PEUT-ÊTRE RESTER UN PEU... AH, ET PUIS NON.

Lorsque quelqu'un fait des commérages sur toi, tu risques d'avoir de la peine ou d'être en colère. Tu peux avoir envie à ton tour de faire des commérages au sujet de cette personne.

J'AURAIS PEUT-ÊTRE DÛ FAIRE DES COMMÉRAGES SUR LAURA POUR LUI RENDRE LA MONNAIE DE SA PIÈCE.
ET MOI, J'AURAIS DÛ RESTER QUELQUES MINUTES.

Si tu apprends que quelqu'un fait des commérages sur toi, ne fais pas de commérages sur cette personne. Fais plutôt ceci:

- Va voir la personne et demande-lui gentiment d'arrêter de faire des commérages sur toi.
- Essaie de régler ton différend avec cette personne. Demande l'aide de quelqu'un au besoin.

JE SAIS QUE TU FAIS DES COMMÉRAGES SUR MOI. TU M'AS VRAIMENT FAIT DE LA PEINE ET JE VOUDRAIS QU'ON EN PARLE.
SUIS-JE ALLÉE TROP LOIN?
OUAIS!

Quand tu ne connais pas ou ne comprends pas une personne, tu peux avoir envie de faire des commérages à son sujet. Évite de faire des commérages. Fais plutôt ceci:

- Présente-toi à la personne.
- Apprends à la connaître et sois gentil avec elle.

JE SUIS DÉSOLÉ DE NE PAS AVOIR ÉTÉ GENTIL AVEC TOI. ON SE CONNAÎT À PEINE. ON PEUT JOUER ENSEMBLE SI TU VEUX.
BIEN SÛR!
JE VEUX JOUER AUSSI!

Il est important de traiter les autres de la façon dont tu aimes qu'on te traite.

Si tu ne veux pas que les autres fassent des commérages à ton sujet, tu ne dois pas en faire sur eux.

COMME
C'EST
AMUSANT!
J'AIME
JOUER AVEC
DES GENS QUI
NE FONT PAS DE
COMMÉRAGES.